D1063632

SILVANA PERINI

PARLIAMO INSIEME L'ITALIANO

QUADERNO DI LAVORO

QUARTO LIVELLO 4

GIUNTI MARZOCCO

INDICE

Pag.

Grafica e illustrazioni
PETER PELLEGRINI

Redazione
ELISABETTA PERINI

Impianti
TIPONGRAPH - VERONA

Realizzazione
GIUNTI GRUPPO EDITORIALE

CINQUE COPIE DEL PRESENTE VOLUME SONO STATE INVIATE SIA AL MINISTERO DELLA P.I. SIA AL M.A.E.

Tutti i diritti sono riservati. È vietata la riproduzione dell'opera o di parti di essa con qualsiasi mezzo, compresa stampa, copia fotostatica, microfilm e memorizzazione elettronica, se non espressamente autorizzata dall'Editore. L'Editore è a disposizione degli aventi diritto con i quali non è stato possibile comunicare, nonché per eventuali omissioni o inesattezze nella citazione delle fonti.

ISBN 88-09-00726-3

© 1992 Giunti Gruppo Editoriale, Firenze

Rileggi il racconto a pag. 11 del libro
e rispondi.

Che cosa grida il leone nella foresta?

....

....

Che cosa risponde l'elefante?

....

....

Che cosa risponde la giraffa?

....

....

Che cosa risponde la scimmia?

....

....

Che cosa risponde l'uccellino?

....

....

Che cosa dice il topolino?

....

....

Completa

Mangio perché ....

Bevo...

Dormo ....

Corro ....

Gioco ....

Frasi da finire

Claudio corre a casa perché ....

Anna sta in casa perché ....

Ho una gamba rotta perché ....

L'automobilista frena perché ....

La mamma ha ricevuto un regalo perché ....

Io domando e tu rispondi

Io: — Ciao, sono Silvana. Come ti chiami?

Tu: —..

Io: — Parli l'italiano?

Tu: —..

Io: — Dove studi l'italiano?

Tu: —..

Io: — In che paese vivi?

Tu: —..

Io: — Abiti in città?

Tu: —..

Io: — Abiti in una casa o in un appartamento?

Tu: —..

Io: — Qual è il tuo indirizzo?

Tu: —..

Io: — Qual è il tuo numero di telefono?

Tu: —..

Ora descrivi la tua casa o il tuo appartamento

....

....

....

....

....

....

....

....

....

....

La stanza di Bip

Questa è la mia stanza. Io racconto e tu disegni!

Sotto la finestra c'è un tavolo giallo. Sul tavolo c'è una lampada blu.
Tra la porta e il tavolo c'è il mio letto rosso. Nell'angolo a sinistra c'è una libreria verde piena di libri. Di fronte al tavolo c'è una sedia gialla.
Davanti alla sedia c'è un tappeto rosso e nero.
Sopra il letto c'è un disegno che ho fatto io.

Giochiamo!

La mamma di Luisa cerca qualcosa.
Che cosa cerca?
Un oggetto.
Unisci le iniziali delle illustrazioni secondo i numeri.
Poi cerca l'oggetto nella scenetta.

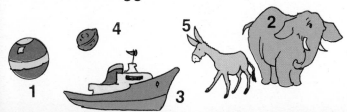

9

— Che cosa c'è?

— Ho perso il ...... libro nuovo!

— E tu?

— Io invece, ho perso la mia biro rossa.

— Siete proprio disordinati! Cercate dappertutto!

— Evviva ho trovato la ...... penna rossa!

— Oh, finalmente! Ho trovato il mio libro nuovo!

— Che cosa cerca il babbo in macchina?

— Cerca il ...... giornale e la ...... pipa.

— Ragazzi, che cosa cercate sotto il divano?

— Cerchiamo il …… pallone nuovo.

— Mamma, dove sono le …… scarpe da ginnastica?

— Le …… scarpe sono nell'armadio.

Tutti i giorni Carlo e Marta prendono la …… bicicletta e il …… cane e fanno un giro nel parco.

11

Parole crociate

La mamma .... il caffè.

La nonna .... la televisione.

Il gatto .... la palla.

Silvia .... la chitarra.

Angela .... l'aspirapolvere.

Il babbo .... la macchina.

Luca e gli amici .... musica.

Antonia .... i capelli.

Il nonno .... il giornale.

13

Il gioco dei cartellini

I bambini scrivono su cartellini queste frasi.
Mettono i cartellini in una scatola.
Ogni bambino estrae un cartellino, legge la frase e fa la domanda.
Il gioco si può ampliare scrivendo altre frasi.

Chiedi ai tuoi compagni se parlano l'italiano.

Chiedi a una compagna se mangia una mela.

Chiedi a un compagno se la domenica dorme fino a tardi.

Chiedi alla tua maestra se canta una canzone.

Chiedi a due compagne se giocano con te.

Chiedi alla maestra se beve il caffè.

Chiedi al tuo compagno se scrive spesso una lettera.

Chiedi alle tue compagne se alla sera guardano la televisione.

Chiedi a due compagni se leggono libri o giornalini.

Che cosa vedono?

Vuoi aiutare i nostri amici?

Che cosa vedete?

Ora completa:

I bambini vedono	il vigile	che	fischia
	....		attraversa la strada
	....		....
	....		....
	....		....
	....		....
	....		....
	....		....

Nel racconto mancano alcune parole.
Sai scriverle tu?

C'era una volta in uno scatolone

di giocattoli …… ……………………………

di piombo con una ………………

sola.

Era solo e triste.   ……   aveva amici.

Su un ……… c'era una ballerina

…… ……………

Diceva il soldatino ………   …………………:

«Vorrei …………… là sul tavolo da

quella ……………………… di vetro.

……………… la ballerina: «Vorrei

stare……………… a quel soldatino di

piombo.

Un giorno arrivò il ………………… e li portò

via con sé.

Il ……………………… di piombo e la

…………………di vetro volano ancora

……………… …………………

È di...

Cerchia con colori diversi le cose di legno, le cose di lana, ecc. e poi scrivi.

È ... sono ...

di lana	di pelle	di vetro

di metallo	di legno	di carta

Topolino

Pippo

Osserva i nostri amici e segna la risposta con una crocetta

	Topolino	Pippo
Chi è più alto?		
Chi è più furbo?		
Chi è più basso?		
Chi è più bello?		
Chi è più simpatico?		
Chi è più intelligente?		

Ora scrivi le frasi.

Pippo è più alto di Topolino.

....

....

....

....

....

veloce

Il ghepardo è più veloce dell'uomo

....

....

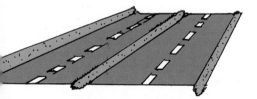

....

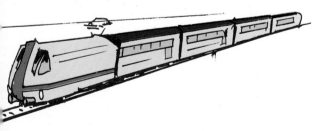

....

19

Completa!

.... come l'ago

.... come il sole

.... come una tigre

.... come il ghiaccio

.... come una piuma

.... come un ippopotamo

.... come una mosca

.... come un elefante

.... come una volpe

.... come il vento

.... come il cane

.... come il miele

.... come una lumaca

Ecco

Come sono? Che cosa hanno? Racconta!
Ora scrivi.

Chi?	Come è?	Che cosa ha?
Michele	alto-simpatico	capelli biondi – pantaloni blu – maglia azzurra

Gioco a catena: Un bambino descrive il suo compagno di banco. A sua volta questo descrive la sua compagna e così via.

21

Chi è?

Leggi le frasi, cerca e trova l'amica di Bip.

La mia amica è............

— È bella!
— Non ha gli occhiali
— Ha i capelli corti
— Non ha il cappello
— Ha gli occhi azzurri
— Ha i capelli neri

Giochiamo!

> *Un bambino, a turno, esce dalla classe.*
> *Gli altri scelgono una persona nota a tutti*
> *(Es: un compagno, un personaggio famoso).*
> *Il bambino rientra e deve fare tante domande*
> *ai compagni sulle caratteristiche della persona*
> *finché non scoprirà di chi si tratta.*

Il bambino: — È una persona, un animale o una cosa?

I bambini: — È una persona!

Il bambino: — È un uomo o una donna?

I bambini: — Non è né un uomo, né una donna.

Il bambino: — È un bambino o una bambina?

I bambini: — È un bambino!

Il bambino: — È alto o basso?

I bambini: — Non è né alto, né basso.

Il bambino: — È grasso?

I bambini: — No, è magro.

Il bambino: — Ha i capelli neri?

I bambini: — No!

Il bambino: — Ha i capelli biondi?

I bambini: — Sì!

Il bambino: — Ha i pantaloni blu e la maglia rossa?

I bambini: — Sì!

Il bambino: — Bene! Non è né alto né basso, è magro, ha i capelli biondi, i pantaloni blu e la maglia rossa... è Antonio!

I bambini: — Hai indovinato! È proprio Antonio.

23

— Hai un amico?
— Sì.
— Com'è?
— È alto, magro
  e simpatico.

— Hai un'amica?
— Sì.
— Com'è?
— È bassa, grassa
  e allegra.

— Hai amici?
— Sì, tre.
— Come sono?
— Sono alti, magri
  e simpatici.

— Hai amiche?
— Sì, due.
— Come sono?
— Sono basse,
  grasse e allegre.

Rispondi, disegna e descrivi.

— Hai un amico?
— ....
— Com'è?
— ....
  ....

— Hai un'amica?
— ....
— Com'è?
— ....
  ....

— Hai amici?
— ....
— Come sono?
— ....
  ....

— Hai amiche?
— ....
— Come sono?
— ....
  ....

Chiedi ad un compagno di descrivere la maestra d'italiano.

La tua famiglia

pp. 68-69 del libro

Completa!

Persone	Nome	Come sono?	Occhi	Capelli
Babbo				
Mamma				

Ora descrivi la tua famiglia.

....

....

....

....

....

....

....

....

....

Chi?	A chi?			Che cosa?
	a te	a lui	a lei	
regalare	ti regalo	gli regalo	le regalo	un fiore
dare	....	....	....	una caramella
scrivere	....	....	....	una lettera
dire	....	....	....	«grazie»
chiedere	....	....	....	un favore
telefonare	....	....	....	una buona notizia
augurare	....	....	....	«Buon Natale»
portare	....	....	....	un libro

Il compleanno

p. 76 del libro

Chiedi ai tuoi compagni in quale mese hanno il compleanno
e segna la data e il nome al posto giusto.

GENNAIO	FEBBRAIO	MARZO	APRILE
MAGGIO	GIUGNO	LUGLIO	AGOSTO
SETTEMBRE	OTTOBRE	NOVEMBRE	DICEMBRE

Ora completa e poi leggi

Io	ha		....
Il maggior numero			....
	hanno	il compleanno	in ....
Nessuno	ho		....
Alcuni			....

27

Claudia e Michela si svegliano tutti i giorni alle sei e cinquanta

Fanno colazione alle sette e venti

Vanno a scuola alle otto e quindici

Tornano a casa alle dodici e quarantacinque

Pranzano all'una

Giocano con gli amici fino alle tre e quarantacinque

Studiano fino alle cinque

Alle cinque e venticinque guardano la televisione

Cenano alle sette e quaranta

Vanno a letto alle otto e quarantacinque

A che ora...?

Segna l'ora e rispondi.

A che ora ti alzi?

....

A che ora vai a scuola?

....

A che ora torni a casa?

....

A che ora pranzi?

....

A che ora giochi?

....

A che ora guardi la televisione?

....

A che ora vai a letto?

....

Racconta che cosa fai la domenica.

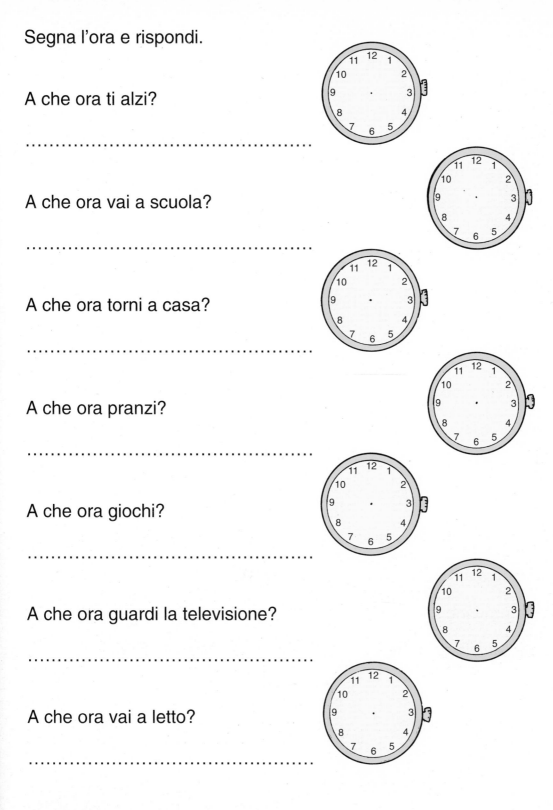

29

Rileggi il racconto a pagina 81 e rispondi.

Dove abitano Ollio e Stanlio?
Perché non prendono l'ascensore?
Che cosa fanno i due amici?
Perché non possono aprire la porta?
Che cosa fa Ollio?

Ora completa:

Stanlio e Ollio abitano in un ....

al ventesimo ....

Un giorno .... a casa molto tardi.

I due amici sono.....................................

L'ascensore è .... e Stanlio e Ollio devono

.... per le scale.

Un piano, due piani, ...piani.

Finalmente arrivano al .... piano.

Ollio dice a Stanlio di aprire .... di casa, ma Stanlio

ha dimenticato .... in macchina.

Ollio si arrabbia e rincorre .... che scappa piangendo.

Osserva la pagina 87 del libro:

sul	case
	prati
sulle	giardino
sulla	bambini
	alberi
sull'	automobile
sugli	strada

La neve cade

Ora completa!

Questa notte lieve lieve è caduta la neve.

Tutto è bianco. La neve è caduta

.... alberi, ... prati,

.... strade, ... tetti delle case,

...........acqua del fiume,

.... giardini, ... automobili,

.... vie e .... piazze.

Il primo gelo

Filastrocca del primo gelo,
gela la neve caduta dal cielo
gela l'acqua nel rubinetto
gela il fiore nel vasetto

G. Rodari   31

Quando...

Sai mettere in ordine?

Il topo scappa		ha tempo
Il babbo legge		vede un gatto
Il bambino sta in casa	quando	ha fame
Il gatto miagola		piove
Tutto è bagnato		gioco con gli amici
Io mi diverto		fa freddo

Amore

— Ecco — diceva il passero affamato —
la bianca neve tutto ha sotterrato,
e non c'è un filo d'erba giù nell'orto
prima di sera certo sarò morto. —
Allora s'apre piano un balconcino,
e compare il visetto di un bambino;
il bimbo sparge in fretta sul balcone
le briciole della colazione.
Poi si ritira; allegro il passerino
cinguetta grazie grazie a quel bambino.

A. Ferraresi

32

Vocabolario

sotterrato = coperto
compare = si vede
si ritira = va via

Il passerotto e il bambino

Hai letto la poesia della pagina precedente?
Ora prova a far parlare il passerotto e il bambino.

Ora completa!

Il passerotto dice che ....

....

Un bambino apre ....

....

Tutto contento l'uccellino 33

....

È .... Nevica.

Giacomino va a .... Nel letto

caldo Giacomino .... gli occhi

e .... Che cosa sogna?

Sogna Orsetto rosso .... guarda la neve.

Sogna gli uccellini .... hanno

fame: cip, cip, cip.

Sogna il cane Bernardone .... va a sciare.

Sogna tanti leprotti .... scappano

perché hanno paura dell'uomo di neve.

Sogna il gatto Pericle .... spala

la neve davanti alla porta di casa.

Sogna ....

....

Sogna ....

....

Osserva le vignette. Sai completare il racconto? Sai anche scrivere il titolo?

Nel bosco vive uno scoiattolo

di nome ....

Ogni giorno Daniele va a bere

.... di un ruscello.

Viene l'inverno.

Fa .... freddo.

Lo scoiattolo ha ....,

ma non può ....

perché il .... è gelato.

Corre sul ....

gelato e cerca ....

Ad un tratto ....

In quel momento passa una

....

— Ti sei fatto ....?

chiede ....

— Oh, sì! Mi sono ....

.........................a una zampa!

35

La lepre fascia con cura
.... di ....
— Ora devi riposare — dice
Ma lo ....
piange.
— Perché ....?
chiede la ....

— Ho fatto...................., e l'acqua
del ruscello è ....
— Non ...., ora ci
penso io.
La .... riempie un
secchio di .... e
di ....
Così il ghiaccio diventa
....

— Come sei ....! — grida lo scoiattolo.
Fuori cade .... e fa .... Ma lo scoiattolo è
.... nella casa della ....

Singolare	Plurale
il professore	i ....
il meccanico	i ....
l'operaio	gli ....
il pagliaccio	i ....
l'operaia	le ....
la cameriera	....
l'impiegata	....
il maestro	....
il dottore	....
la commessa	....
la casalinga	....
l'ingegnere	....
il cameriere	....
il falegname	....
la cantante	....
il pittore	....
il cuoco	....
il muratore	....
lo spazzacamino	....
il vigile	....
l'autista	....
l'idraulico	....
la sarta	....

Parole crociate

Verticali:
1. Tagliano i capelli

Orizzontali:
1. Portano la posta
2. Tagliano e cuciono i vestiti
3. Curano i malati
4. Riparano i rubinetti

5. Preparano i pasti
6. Cantano le canzoni
7. Lavorano in campagna
8. Dipingono le pareti
9. Spengono il fuoco
10. Fanno i mobili
11. Lavorano in un ristorante
12. Dipingono i quadri

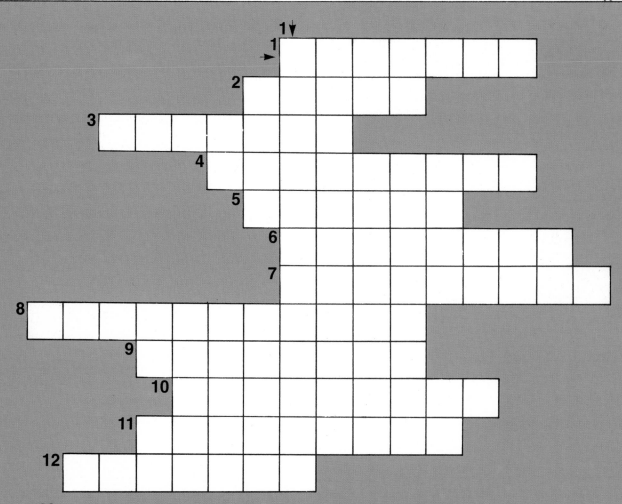

Rileggi la pagina 105 e completa il dialogo.

Il babbo di Laura fa il tassista.

Alla sera torna a casa molto tardi.

Laura è già a letto.

— ....

— Ciao, papà. Come va?

— ....

— Raccontami che cosa hai fatto oggi.

— ....

....

— E poi?

— ....

....

....

— E poi dove sei andato, papà?

— ....

— Con chi?

— ....

....

— E tu, Laura, che cosa hai fatto?

— ....

....

a scuola

al mare

dalla nonna

in chiesa

al parco

al cinema

a passeggio

in piscina

in montagna

al circo

al Luna Park

Stamattina

Ieri

Due giorni fa

La settimana scorsa

Il mese scorso

L'anno scorso

Dove?

Domenica scorsa io sono andato ....

40

Osserva l'illustrazione e racconta che cosa hanno fatto.

Il babbo ....

....

La mamma ....

....

Il nonno ....

....

Lucia ....

....

Franco ....

....

Mario ....

PRIMA

....
....
....
....
....
....
....
....
....
....
....
....
....

ORA

La mamma ha lavorato tutto il giorno.
Ora riposa e legge il giornale.

POI

....

stirato – fatto – lavato – cucito
scritto – pulito – preparato

Trasforma

pp. 111-112 del libro

Presente	Passato
leggo un libro	.... un libro
mangia una banana	.... una banana
scrive una cartolina	.... una cartolina
ascoltiamo musica	.... musica
faccio lo spesa	.... la spesa
giocano a calcio	.... a calcio
telefono al nonno	.... al nonno
guardano la televisione	.... la televisione
prende la macchina	.... la macchina
beve una birra	.... una birra
comperano la frutta	.... la frutta
facciamo il compito	.... il compito
lavora tutto il giorno	.... tutto il giorno

Anna ha giocato.

a che cosa?

Anna ha giocato a tennis.

quando?

Ieri Anna ha giocato a tennis

quanto?

Ieri Anna ha giocato un'ora a tennis

con chi?

Ieri Anna ha giocato un'ora a tennis con Luca

Carlo ha invitato

chi?

dove?

quando?

perché?

Sai scrivere tutta la frase?

....

....

....

Che cosa chiedono alla maestra questi bambini?

giocare a ping-pong	suonare il pianoforte

giocare a pallacanestro	giocare a calcio	ballare

fare ginnastica	cavalcare	dipingere

cantare		

Un amico ti telefona. Che cosa dici?

L'amico: — Ciao.

Tu: — ....

L'amico: — Vieni in piscina con me?

Tu: — ....

L'amico: — Alle nove.

Tu: — Non posso. Devo ....

L'amico: — Alle dieci?

Tu: — Non posso. ....

L'amico: — Alle undici?

Tu: — Non posso. ....

L'amico: — Nel pomeriggio?

Tu: — ....

Il vigile

— Ehi, ragazzo! Vieni subito qui!

— Perché?

— Non devi giocare a palla per la strada!

— Sì, lo so, ma ...

— È pericoloso! Devi andare via subito!

Devi… non devi…

Osserva le vignette e scrivi al posto giusto le parole nei fumetti.

Non devi raccogliere i fiori!

Non passare con il rosso!

Devi attraversare sulle zebre!

Devi fare il tuo letto!

Devi stare zitto!

Devi studiare!

Devi pulire la tua stanza!

Incolla qui una cartolina della tua città.

Descrivi a un amico la tua città.

Leggi le parole ad alta voce e uniscile al numero corrispondente.

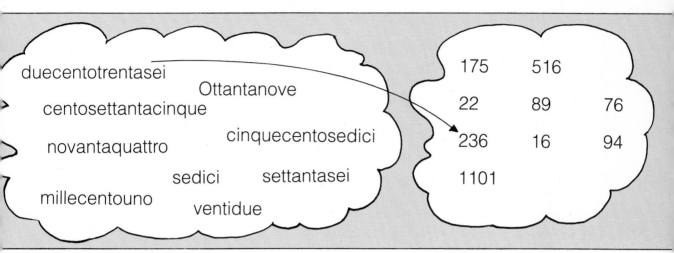

duecentotrentasei

Ottantanove

centosettantacinque

cinquecentosedici

novantaquattro

sedici   settantasei

millecentouno

ventidue

175	516	
22	89	76
236	16	94
1101		

Ora scrivi:

300 ....   5000 ....

1100 ....   421 ....

1962 ....   10.000 ....

100.000 ....   8612 ....

322.000 ....   4781 ....

Che cosa manca? Leggi ad alta voce!

12   +   60   + ☐ =   772

☐ +   220   +   80   =   500

39   +   111   + ☐ =   325

105   + ☐ +   95   =   400

Che cosa comperi?

Scrivi in ogni vetrina almeno due cose che puoi comperare in ciascun negozio.

frigorifero – pillole – vino – rose – libri – pesce – cane – riso – pianta –
mappamondo – torta – pappagallo – salame – pallone – arance – gelato – latte
– scarpe – mele – giornalino – olio – ferro da stiro – giornale – televisore –
martello – gonna – bicicletta – vongole – chiodi – giacca – dischi – pesciolini
rossi – carne – liquori – cappotto – pollo – bambole – stivali – profumo – crema
– giornale – robot – burro – pasta – penna

Tutti comperano...

I bambini, a turno, impersonano il ruolo del negoziante o del commesso e delle persone che comperano, usando queste ed altre frasi:

— Buon giorno — Buona sera — Arrivederci
— Che cosa vuoi?
— Che cosa vuole?
— Vorrei… — Mi dia… — Per favore, mi dà…?
— Quanto costa? Quanto costano?

— Quanto fa?
— Mi piace… Non mi piace…
— Grazie. — Prego.

I bambini poi raccontano che cosa hanno comperato nei negozi.
Es. «Il nonno è andato nel negozio di giocattoli e ha comprato il gioco della tombola e un pallone».

Tu vai dal fruttivendolo a comperare frutta e verdura. Che cosa dici?

Il fruttivendolo: — Buongiorno. Che cosa vuoi?

Tu: — Vorrei ....

....

Il fruttivendolo: — E poi?

Tu: — ....

....

Il fruttivendolo: — Basta così?

Tu: — No, vorrei anche ....

....

Bip ha le scarpe rotte.

Entra in un negozio.

Prova un paio di scarpe, ma gli fanno male.

Poi ne prova un altro paio, ma

sono troppo piccole. Infine

Bip prova le scatole delle scarpe e

se ne va tutto contento.

Scrivi al posto giusto il nome di tutte le cose che si trovano al mercato.

pantaloni – camicie – maglie – giacche – vestiti – camicette – cinture –
cravatte – borsette – borse – valigie – scarpe – stivali – sandali –
calzini – calze – cappelli – biancheria da uomo – biancheria da donna

un pacchetto – un chilo – una scatola – un barattolo –
un vasetto – un litro – un sacchetto

La mamma di Anna ha comperato:

....

....

....

....

....

....

....

....

Che cosa mangi? Che cosa bevi?

p. 147 del libro

Fa' una crocetta al posto giusto e racconta.

		a colazione	a pranzo	a cena	nel pomeriggio
	pane				
	biscotti				
	marmellata				
	miele				
	pesce				
	carne				
	minestra				
	pollo				
	tè				
	caffè				
	acqua				
	vino				
	succo di frutta				
	patate				
	verdura				
	budino				
	torta				
	burro				
	pizza				

Sai fare la pizza? Prova a scrivere come si fa.

Per fare
la pasta prendo: ....
....

Poi prendo ....
....
....

....
....

....
....

....
....

....
....

....
....

....
....

....
....

Papà, comperi il giornale?

Mamma, comperi i cioccolatini?

Mamma, bevi un caffè?

Nonna, bevi una tazza di tè?

Marco, mangi un panino con prosciutto?

Carla, vuoi caramelle?

I ragazzi vogliono il gelato.

Anna vuole telefonare.

Il nonno ....
....

Luca e Michele ....
....

Il babbo ....
....

La mamma ....
....

Michele e Gianni ....
....

Luisa e Laura ....
....

La nonna ....
....

Il babbo e la mamma ....
....

61

Il gioco dell'oca

Si gioca con un dado. Si conta ad alta voce. Chi trova una difficoltà ortografica deve scrivere almeno due parole. (Es. che-chi: chiave-oche). I compagni controllano se le parole sono esatte. Se non sono esatte il giocatore sta fermo un giro. Chi trova l'omino del computer tira il dado un'altra volta.
Vince chi arriva per primo al traguardo con il maggior numero di parole esatte.

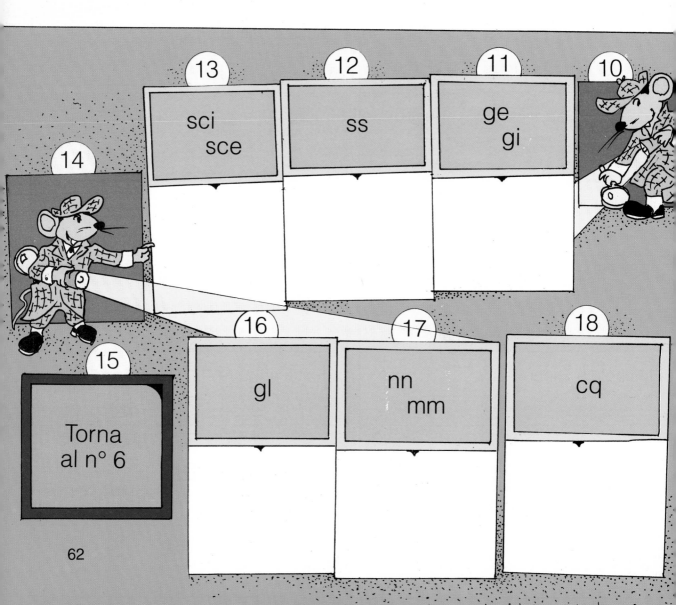

62

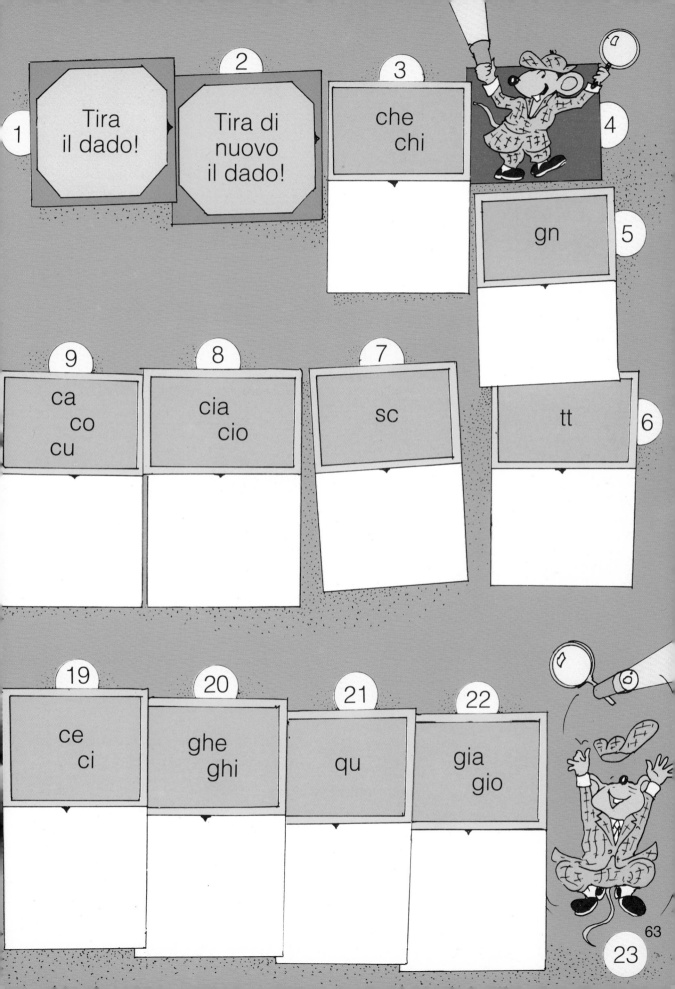

1

Tira il dado!

2

Tira di nuovo il dado!

3

che
chi

4

5

gn

9

ca
co
cu

8

cia
cio

7

sc

6

tt

19

ce
ci

20

ghe
ghi

21

qu

22

gia
gio

63

23

SILVANA PERINI
PARLIAMO INSIEME L'ITALIANO
QUADERNO 4°
GIUNTI GRUPPO EDITORIALE

FI 00401539

PARLIAMO INSIEME
L'ITALIANO
QUADERNO 4
S. PERINI

GIUNTI G. E.

F 009006772

Finito di stampare nel mese di agosto 1997 presso Giunti Industrie Grafiche S.p.A. – Stabilimento di Prato